Éditions Usborne

Ma première encyclopédie du corps humain

Fiona Chandler

Maquette : Susie McCaffrey

Illustrations : David Hancock
et John Woodcock

Expert-conseil : Kristina Routh

Pour l'édition française :
Traduction : Nathalie Chaput
Rédaction : Renée Chaspoul et Carla Brown

Utilisation des liens Internet

Il existe sur Internet une foule de sites passionnants sur le corps humain. Cet ouvrage propose des descriptions de sites que tu peux visiter en cliquant sur les liens du site Quicklinks des éditions Usborne. Il suffit de te connecter sur **www.usborne-quicklinks.com/fr**.

Voici certaines des choses que tu pourras faire sur les sites sélectionnés dans cet ouvrage :

- Tout savoir sur la santé de tes dents
- Voir une animation sur le muscle cardiaque
- Te renseigner sur le monde des gènes et faire un quiz pour tester tes connaissances
- En savoir plus sur ce qu'il faut manger pour avoir une alimentation saine et équilibrée

Sécurité sur Internet

Voici quelques conseils à suivre pour naviguer sur Internet en toute sécurité.

- Demande la permission à un adulte de ton entourage avant de te connecter sur Internet.
- Ne révèle jamais de données personnelles comme ton vrai nom, ton adresse ou ton numéro de téléphone.
- N'accepte jamais de rencontrer une personne avec qui tu as communiqué via Internet.
- Si un site Web te demande de t'inscrire ou de donner ton nom ou ton adresse e-mail, consulte une grande personne de ton entourage auparavant.
- Si tu reçois un e-mail d'une personne que tu ne connais pas, consulte un adulte. Ne réponds pas.

Images téléchargeables

Les images marquées du symbole (★) peuvent être téléchargées pour ton usage personnel, par exemple pour un dossier scolaire ou des devoirs. Elles ne doivent pas être utilisées à des fins commerciales ou lucratives. Pour les trouver, va sur **www.usborne-quicklinks.com/fr** et suis les instructions qui sont données.

Disponibilité des sites

Les sites proposés sont régulièrement vérifiés et les liens mis à jour. Il arrive qu'un site soit indisponible. Cette indisponibilité est peut-être temporaire et tu peux essayer de te connecter plus tard. Dans le cas contraire, nous essaierons de te proposer un nouveau site. Tu trouveras une liste de liens à jour sur le site Quicklinks des éditions Usborne.

Matériel informatique

Tu peux accéder aux sites Web recommandés dans cet ouvrage avec un ordinateur personnel standard et un navigateur (c'est un logiciel qui permet à l'ordinateur d'afficher les informations disponibles sur Internet). Certains sites nécessitent des programmes supplémentaires, appelés modules externes ou plug-ins, qui permettent de restituer de la vidéo, des animations ou du son. Dans ce cas, un message s'affichera ainsi qu'un bouton permettant de télécharger le module externe en question. Tu peux aussi télécharger le module en allant sur le site Quicklinks des éditions Usborne et en cliquant sur le lien « Besoin d'aide ? ». Pour accéder au site Web de téléchargement des différents modules, il suffit de cliquer sur le lien correspondant.

Note pour les parents

Tous les sites Web proposés dans cet ouvrage sont régulièrement revus et les liens mis à jour. Toutefois, le contenu d'un site peut changer à tout moment et les éditions Usborne ne sauraient être tenues responsables du contenu de sites Web autres que le leur. Nous recommandons aux adultes d'encadrer les jeunes enfants lorsqu'ils consultent Internet, de ne pas les laisser utiliser les salles de discussion (chat rooms) et d'utiliser un système de filtrage afin de bloquer l'accès à tout site indésirable. Veillez à ce que vos enfants respectent les règles de sécurité indiquées à gauche et dans la section « Besoin d'aide ? » de notre site Quicklinks.

IL N'EST PAS OBLIGATOIRE D'AVOIR UN ORDINATEUR

Tel quel, cet ouvrage de référence est complet et ne nécessite aucun auxiliaire.

Sommaire

Sur cette photo spéciale, il est possible de savoir si des organes sont chauds ou froids. Quand ils sont chauds, c'est rouge ou blanc.

L'intérieur du corps

Ton corps est une machine extraordinairement complexe. Il se compose de nombreuses parties. Elles fonctionnent toutes ensemble pour te permettre de rester en vie.

Les cellules

Le corps est constitué de milliards de minuscules cellules vivantes. La plupart des cellules sont trop petites pour être vues à l'œil nu. On les observe au moyen d'une machine, appelée un microscope.

Certaines des plus grosses cellules ne dépassent pas la taille de ces minuscules points.

Voici des globules rouges. Ils sont rouges et une goutte de sang peut en contenir environ 250 millions.

La forme des cellules

Les cellules ont des formes et des tailles diverses. Chaque type de cellule a une fonction particulière. En voici quelques-unes :

★ Les cellules de graisse sont rondes comme des balles.

★ La peau a des cellules plates qui s'emboîtent comme les pièces d'un puzzle.

★ Les muscles possèdent de longues et fines cellules.

★ Les cellules des nerfs ressemblent un peu à des arbres.

Les organes

Les milliards de cellules s'assemblent pour former les différentes parties du corps. Les parties essentielles, telles que le cerveau, le cœur et l'estomac, sont appelées organes. Chacun a son propre rôle, ou fonction.

Voici quelques-uns des principaux organes du corps

Liens Internet

Amuse-toi en feuilletant cette petite encyclopédie ludique sur le corps humain. Pour le lien vers ce site, connecte-toi à : **www.usborne-quicklinks.com/fr**

Rester en vie

Pour vivre, il faut de la nourriture, de l'eau et de l'air. L'air que tu respires contient un gaz, appelé oxygène, qui est nécessaire au fonctionnement de tes cellules.

Le cerveau commande au corps. Il envoie des instructions à tous les autres organes.

Le cœur fait circuler le sang dans tout le corps.

Les poumons servent à respirer l'air.

Le foie nettoie le sang.

L'estomac retient la nourriture.

L'intestin décompose la nourriture en éléments utilisés par le corps.

★ Tu grandis et tu as de l'énergie parce que tu manges.

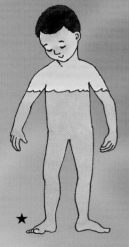

★ Le corps humain est constitué aux deux tiers d'eau.

Le cerveau et les nerfs

Le cerveau contrôle ce qui se passe dans le corps. Il envoie des messages aux autres organes pour leur dire comment réagir. Ces messages circulent le long des nerfs.

Le travail du cerveau

Le cerveau travaille sans arrêt. Même quand tu dors, il te permet de respirer et fait battre ton cœur. C'est aussi la partie du corps qui pense, apprend, prend des décisions et se souvient.

Le cerveau est relié à tous les nerfs du corps.

La moelle épinière est un faisceau de nerfs qui descend le long du dos.

Les autres nerfs du corps sont indiqués en vert.

★

Les lignes jaune pâle sont des plis à la surface du cerveau.

Le cerveau d'un enfant de 6 ans a la même taille que celui d'un adulte.

Voici le crâne, une boîte faite d'os qui protège le cerveau.

Cette image, appelée scanographie, permet de voir le cerveau en rose et jaune pâles à l'intérieur du crâne.

La moelle épinière relie le cerveau au reste du corps.

6

Les messages

Les nerfs envoient des messages au cerveau et lui permettent ainsi d'appréhender le monde qui l'entoure. Ils peuvent également recevoir des ordres du cerveau et les transmettre au reste du corps.

Voici ce qui arrive quand tu attrapes une balle. L'action ne prend qu'une fraction de seconde.

1. Tu vois la balle arriver vers toi. Les nerfs transmettent l'information des yeux au cerveau.

2. Le cerveau décide d'attraper la balle. Il envoie un ordre pour signaler aux bras de bouger.

3. Les nerfs envoient alors l'information aux bras et aux mains. Ceux-ci bougent pour attraper la balle.

Liens Internet

Cette page permet d'en savoir plus sur le cerveau et le système nerveux. Pour le lien vers ce site, connecte-toi à :
www.usborne-quicklinks.com/fr

Les neurones

Le cerveau et les nerfs sont composés de millions de cellules nerveuses, les neurones. Quand tu penses, des signaux électriques passent à toute allure d'un neurone à un autre.

Le savais-tu ?

• Les neurones qui vont de la moelle épinière aux orteils sont les plus longues cellules du corps humain. Ils peuvent mesurer plus de 1 m de long.

• Les messages se transmettent d'un neurone à l'autre à plus de 400 km à l'heure.

• Chaque neurone du cerveau peut recevoir plus de 100 000 messages par seconde.

Le cerveau contient des millions de minuscules neurones comme ceux-ci.

La vue

Tes yeux servent à voir ce qui se passe autour de toi. La lumière se réfléchissant sur les objets entre dans les yeux, qui envoient des messages au cerveau. Celui-ci transforme les messages en images que tu vois.

Pupille

Quand il fait sombre, la pupille s'agrandit pour laisser passer le plus de lumière possible.

Pupille

Quand il fait clair, la pupille se rétrécit pour empêcher que trop de lumière entre.

Suis les numéros pour comprendre ce qui se passe à l'intérieur de l'œil quand tu regardes une fleur.

1. La lumière se réfléchit sur la fleur.

2. La lumière entre dans l'œil par la pupille (le point noir situé au centre de l'œil).

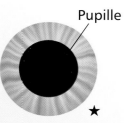

3. Cette partie de l'œil est appelée le cristallin. Il courbe la lumière et la dirige vers le fond de l'œil.

4. Une image inversée se forme sur le fond de l'œil, ou rétine. Des cellules spéciales transforment l'image en message.

Des cellules spéciales grossies, comme celles-ci, tapissent le fond de l'œil. Chaque œil en possède environ 136 millions.

5. Un nerf transmet le message au cerveau, qui remet l'image à l'endroit. Tu vois la fleur.

8

Cils et paupières

Les yeux sont fragiles. Ils s'abîment aisément. La plus grosse partie de l'œil, ou globe oculaire, est cachée dans le crâne. Ce qui se voit est protégé par les cils et les paupières.

Quand tu clignes des yeux, tes paupières se rapprochent et nettoient l'œil avec des larmes.

Si quelque chose approche de l'œil, les paupières se ferment instinctivement.

Liens Internet ✋

Quelques illusions d'optique pour mieux comprendre le fonctionnement de la vision. Pour le lien vers ce site, connecte-toi à : **www.usborne-quicklinks.com/fr**

Les cils empêchent la poussière d'entrer.

La partie colorée de l'œil s'appelle l'iris.

Les problèmes

Pour voir correctement, certaines personnes portent des lunettes ou des lentilles. Les myopes ont besoin de lunettes pour voir les objets éloignés, les hypermétropes pour voir les objets proches.

Cette opticienne teste les yeux de ce jeune garçon pour savoir s'il lui faut des lunettes.

Voir les couleurs

1. La nuit tombée, munis-toi de crayons de couleur. Éteins la lumière et attends de voir un peu.

2. Regarde les crayons. Distingues-tu de quelle couleur ils sont ?

Dans l'obscurité, les cellules qui distinguent les couleurs ne fonctionnent pas. Il est difficile de voir les couleurs.

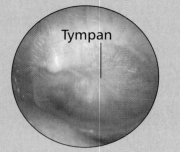

Tympan

Voici ce que le spécialiste observe à l'intérieur d'une oreille.

L'ouïe

Assieds-toi au calme quelques minutes et écoute. Qu'entends-tu ? Les oreilles sont des organes capables de distinguer des milliers de sons, du bourdonnement d'une abeille au bruit d'une moto.

L'écoute

Un son fait trembler, ou vibrer, les minuscules particules de l'air. Les vibrations parcourent l'air selon des ondes invisibles. Quand des vibrations frappent tes oreilles, tu entends.

Liens Internet

Fais des tests sur les sons.
Pour le lien vers ce site, connecte-toi à :
www.usborne-quicklinks.com/fr

★ Suis les numéros pour comprendre ce qui se passe à l'intérieur de l'oreille quand tu entends un bruit.

1. La partie externe de l'oreille capte les vibrations et les canalise à l'intérieur.

2. Les vibrations frappent une membrane de peau fine, le tympan, qui vibre à son tour.

3. De minuscules os, les osselets, transmettent les vibrations.

4. Cette partie est remplie de liquide. Les vibrations font des ronds, ou ondes, dans le liquide.

5. Les ondes touchent des cellules nerveuses, qui envoient un message au cerveau.

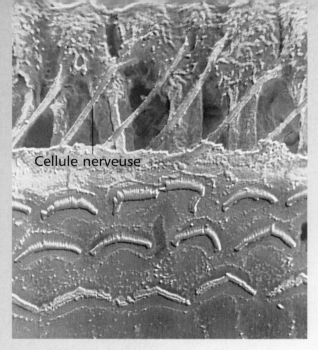

Cellule nerveuse

Sur cette photo prise au microscope, les poils roses situés dans l'oreille représentent des cellules nerveuses. Ils se courbent sous l'effet des vibrations.

Souffler dans une trompette fait vibrer l'air du tube. Les notes aiguës donnent des vibrations rapides, les notes basses, lentes.

Les vibrations sortent par le pavillon et se propagent dans l'air.

L'équilibre

Tu conserves l'équilibre grâce à tes oreilles. À l'intérieur de chaque oreille se trouvent de minuscules tubes. Ils contiennent un liquide, qui clapote, ce qui indique au cerveau que la tête bouge.

Quand tu effectues plusieurs tours sur toi-même, le liquide contenu dans les oreilles tourne aussi et continue même quand tu t'arrêtes. Tu ressens un étourdissement.

★ Les gens ont le mal de mer parce que le liquide dans leurs oreilles bouge alors qu'ils sont assis sagement dans le bateau.

Deux oreilles

Tu as besoin de tes deux oreilles pour repérer d'où vient le son. S'il vient de la droite, il frappe en premier l'oreille droite et il est légèrement plus fort à droite. Le cerveau le remarque et t'informe que le son vient de ce côté.

11

Le goût et l'odorat

Imagine un peu si le chocolat et la pizza avaient le même goût ! Ou si tu ne pouvais pas sentir la bonne odeur qui vient de la cuisine. Sans le goût et l'odorat, il ne serait pas drôle de manger.

L'odeur avertit parfois d'un danger. Si tu sens de la fumée, c'est que quelque chose brûle.

L'odorat

Les odeurs sont de minuscules particules, flottant dans l'air, émises par les objets. Au fond du nez, il existe des cellules nerveuses en forme de poils qui sont sensibles aux odeurs et en avertissent le cerveau.

Au fond du nez, des nerfs envoient un message au cerveau.

Ces cellules nerveuses servent à sentir les odeurs.

Voici ce qui se passe à l'intérieur du nez quand tu sens une fleur.

Les particules d'odeur flottent dans l'air.

Ce grand espace vide est la cavité nasale.

Langue

Les particules d'odeur arrivent aux narines.

Le rôle de la langue

Sur la langue, il y a près de 10 000 bourgeons gustatifs. Ces minuscules bosses, faites de cellules spéciales, sont capables de détecter des goûts simples, comme le sucré, l'acide, le salé et l'amer, et d'en avertir le cerveau.

Le citron est acide. ★

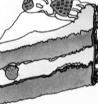

Le café est amer. ★

★

Les chips sont salées.

Le gâteau est sucré. ★

Vue de près, la surface de la langue ressemble à cette photo. Les gros cercles rouges renferment des bourgeons gustatifs, qui détectent les goûts élémentaires.

Liens Internet ✋

Un site amusant consacré aux cinq sens, qui propose entre autres des activités sur le goût et sur l'odorat. Pour le lien vers ce site, connecte-toi à : **www.usborne-quicklinks.com/fr**

En équipe

Quand tu manges, les odeurs émises par les aliments flottent dans ta gorge. Puis elles montent du fond de la gorge dans le nez. Cela signifie qu'il participe aussi au goût.

Si tu as un rhume, ce que tu manges a un goût bizarre, car ton nez bouché t'empêche de sentir correctement.

★

Teste tes bourgeons gustatifs

Il te faut : une carotte, une pomme et une poire, râpées et placées dans des bols séparés ; un bandeau

1. Place le bandeau sur tes yeux et pince-toi le nez. ★

2. Demande à un ami de te faire goûter à chacun des trois bols. Parviens-tu à distinguer les aliments ? ★

3. Recommence la même expérience, mais sans te pincer le nez. Cette fois, n'est-ce pas plus facile ? ★

Le toucher

Quand tu touches quelque chose, la peau transmet une impression. Passe les doigts sur cette page ; le contact est-il doux ou rugueux ?

Sur cette image, la partie du cerveau qui gouverne le sens du toucher est en jaune.

La peau est si sensible qu'elle sent lorsque quelque chose d'aussi léger qu'un papillon la touche.

Les récepteurs tactiles

Sur la peau, il existe des millions de minuscules récepteurs, sensibles à la chaleur, au froid, à la pression, à la douceur et à la douleur. Ils envoient des messages qui circulent le long des cellules nerveuses jusqu'au cerveau.

Si tu touches la fourrure d'un lapin, certains récepteurs te font sentir comme elle est douce et lisse.

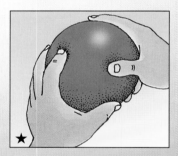

D'autres récepteurs de la peau permettent de détecter la pression. Appuie sur une balle. Est-ce dur ou mou ?

Des récepteurs distinguent la chaleur du froid. Si tu touches un glaçon, quel récepteur fonctionne ?

Si tu te coupes, les récepteurs de la douleur indiquent au cerveau que tu as mal.

Les points sensibles

Sur le corps, certains endroits sont plus sensibles que d'autres. C'est parce qu'ils possèdent davantage de récepteurs.

Les lèvres et la langue sont sensibles. D'ailleurs, le bébé ne s'y trompe pas ; il aime porter les nouveaux objets à sa bouche.

Chaque doigt possède à son extrémité plus de 3 000 récepteurs tactiles.

La plante des pieds est très chatouilleuse. Elle est sensible au moindre contact.

Pourquoi j'ai mal

La douleur est essentielle. C'est elle qui signale que quelque chose ne va pas. Par exemple, si ta main touche un objet très chaud, cela fait mal et tu la retires aussi vite que possible pour ne pas te brûler.

Si tu te piques, des microbes peuvent entrer dans la blessure. La douleur avertit du danger.

★

Le test du toucher

Il te faut :
un bandeau ; plusieurs objets de même forme, comme une pomme, un oignon, une orange et une balle de tennis

★

1. Pose tous les objets sur une table en face de toi et bande-toi les yeux.

2. Essaie de sentir chaque objet avec le coude. Est-ce que tu parviens à les distinguer ?

★

3. Puis touche les objets avec les doigts. Comment est-ce plus facile de les reconnaître ?

La peau

La peau est une enveloppe étanche, fine et élastique, permettant de supporter la chaleur et le froid. Elle protège le corps et empêche les microbes d'entrer.

La partie externe de la peau est faite de cellules plates et feuilletées, comme sur ce dessin.

Mort ou vif !

La peau à la surface du corps est morte. Des cellules vivantes de peau poussent dessous et la remplacent peu à peu. Ce faisant, elles meurent et tombent au bout d'un certain temps.

La peau est composée de deux couches. Voici à quoi ressemble l'intérieur.

Poil

Ce récepteur du toucher permet de ressentir le chaud, le froid ou la douleur.

Les nouvelles cellules de la peau poussent à cet endroit.

Ce minuscule trou est un pore.

La couche externe s'appelle l'épiderme.

La couche interne est le derme.

Vaisseaux sanguins

Voici une glande sudoripare. Elle fabrique un liquide salé, la sueur.

Voici une glande sébacée. Elle fabrique le sébum, de la graisse qui adoucit la peau.

★

Ces minuscules tubes sont des vaisseaux sanguins. Ils apportent du sang à la peau.

Sous la peau, il y a une couche de cellules de graisse.

16

Au frais

Quand il fait chaud, les glandes sudoripares de la peau fabriquent de la sueur. En séchant, celle-ci évacue de la chaleur et te rafraîchit.

La sueur s'écoule des pores. Ces petits trous, environ 3 millions, sont répartis sur toute la peau.

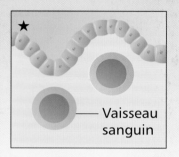

Vaisseau sanguin

Quand tu as chaud, les vaisseaux sanguins s'élargissent et laissent passer davantage de sang dans la peau.

Ce sang supplémentaire te fait rougir, mais il permet à l'air qui t'entoure de le rafraîchir plus vite.

Liens Internet

Les cinq sens en détail, avec des expériences et des activités. Pour le lien vers ce site, connecte-toi à : **www.usborne-quicklinks.com/fr**

La peau et le soleil

Certaines cellules de la peau fabriquent un pigment marron, la mélanine. Elle protège la peau du soleil et lui donne sa couleur. Les gens à la peau foncée possèdent beaucoup de mélanine. Les gens à la peau claire ont peu de mélanine.

La peau des gens qui restent au soleil fabrique de la mélanine et s'assombrit.

Trop de soleil peut être dangereux pour la peau. Dans ce cas, il est conseillé de se passer de la crème solaire.

Cheveux, poils et ongles

Les cheveux, les poils et les ongles sont composés de kératine, qu'on trouve aussi en grand quantité dans la peau. Comme pour la peau, la partie visible est morte.

Les poils et les cheveux

Le corps est recouvert de millions de poils. On ne les voit pas tous, car beaucoup sont trop petits et fins. Les poils les plus épais forment les cheveux. Ils tiennent chaud et évitent les coups de soleil sur le crâne.

Le corps n'a pas de poils sur :

Les lèvres

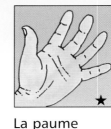
La paume des mains

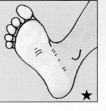
La plante des pieds

Cette photo grossie montre comment les poils poussent dans la peau.

Surface de la peau

Cette partie est la tige du poil.

Un poil émerge d'un tube, appelé follicule pileux.

Voici la racine du poil. De nouvelles cellules s'y forment. C'est la seule partie vivante du poil.

Le savais-tu ?

• Les cheveux poussent d'environ 1,2 cm par mois.

• La plupart du temps, les cheveux ne poussent plus quand ils font environ 60 cm.

• Il y a environ 100 000 cheveux sur une tête.

• On perd jusqu'à 100 cheveux par jour.

Comme la peau, le poil contient un pigment coloré appelé mélanine. Chez les blonds, il y a moins de mélanine que chez les bruns.

Raide ou frisé ?

Selon la forme du cheveu, la chevelure est raide ou frisée.

Un cheveu raide a une forme ronde. ★

Un cheveu ondulé est ovale. ★

Un cheveu frisé est plat. ★

Liens Internet ✋

Jusqu'au bout des cheveux et des ongles, dossier.
Pour le lien vers ce site, connecte-toi à :
www.usborne-quicklinks.com/fr

Dur comme un ongle

Le bout des doigts et des orteils est protégé par un ongle. Les ongles de la main permettent de saisir les objets plus aisément. Un ongle qui n'est pas coupé continue de pousser. Le plus long ongle de pouce mesurait 1 m.

Voici l'intérieur d'un ongle

Cette partie est morte.

Le lit de l'ongle se trouve sous l'ongle.

Les nouvelles cellules se développent dans la racine.

★

Les os

Le corps contient plus de 200 os. Ils le soutiennent et le font se tenir droit. Sans os, il ne serait qu'un tas informe.

Le squelette

Les os forment le squelette. C'est la structure du corps.

Les os protègent les organes. Dans la poitrine, les côtes empêchent le cœur et les poumons d'être écrasés.

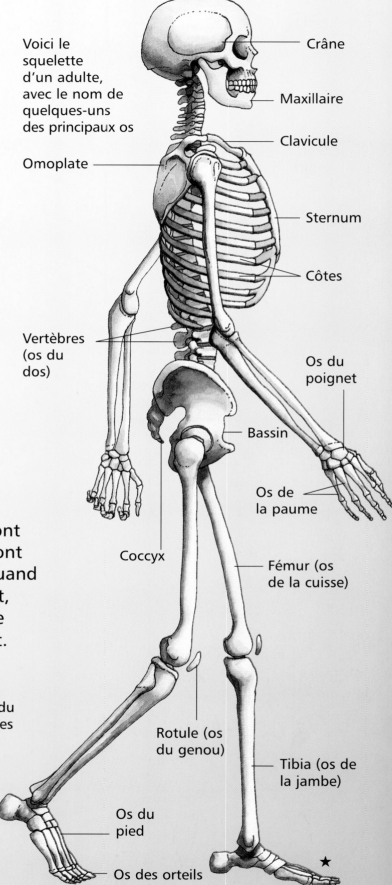

Voici le squelette d'un adulte, avec le nom de quelques-uns des principaux os

- Crâne
- Maxillaire
- Clavicule
- Omoplate
- Sternum
- Côtes
- Vertèbres (os du dos)
- Os du poignet
- Bassin
- Os de la paume
- Coccyx
- Fémur (os de la cuisse)
- Rotule (os du genou)
- Tibia (os de la jambe)
- Os du pied
- Os des orteils

★

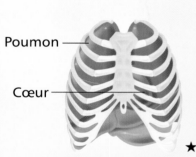

- Poumon
- Cœur

★

Des os mous

Chez le bébé, les os sont encore mous, car ils sont faits en cartilage. Quand le bébé grandit, presque tout le cartilage durcit.

Cette radiographie montre l'intérieur du corps d'un bébé. Les os apparaissent en jaune et en rose.

Il y a peu d'os dans les pieds et les mains d'un bébé.

À l'intérieur de l'os

À l'instar des parties molles du corps, l'os est vivant. Chaque os renferme des millions de cellules vivantes. Elles produisent une substance dure qui le renforce.

Le fémur, ou os de la cuisse, est le plus grand des os du corps. Voici l'intérieur du fémur.

★

Vaisseau sanguin

L'extérieur est dur et fort. C'est l'os compact.

Au milieu se trouve une substance molle, la moelle osseuse.

L'intérieur, creusé de nombreux trous, forme l'os spongieux.

Liens Internet

Une page sympa sur le squelette, entre autres. Pour le lien vers ce site, connecte-toi à : www.usborne-quicklinks.com/fr

Os cassés

Bien que forts, les os se cassent parfois. Pour que les cellules repoussent et le réparent, il faut du temps. Les deux parties finiront par se ressouder.

★

Un plâtre maintient en place l'os cassé jusqu'à ce qu'il se ressoude.

Pour observer les os, le spécialiste utilise une radiographie. En voici une d'un bras cassé.

Les os sont cassés à cet endroit.

Les articulations

L'articulation est l'endroit où deux os se joignent. Ainsi, le corps peut bouger et prendre diverses positions.

Quelques-unes des principales articulations du corps

Articulation de la cheville

S'étirer permet d'assouplir les articulations. Celles des gymnastes sont très souples.

Articulation du genou

Le dos est composé de nombreux os, articulés entre eux.

Articulation de la hanche

Articulation de l'épaule

Articulation du coude

Articulation du poignet

Les jointures

Deux os joints sont attachés par des ligaments. Comme l'extrémité de chaque os est recouverte d'un cartilage lisse et brillant, ils glissent l'un sur l'autre.

Voici à quoi ressemble l'intérieur de l'articulation du genou.

Rotule

Fémur

Cartilage

Afin de bouger sans heurts, l'articulation baigne dans un liquide visqueux.

Ligament

Cartilage

★

Tibia

Les types d'articulations

Selon le mouvement, les articulations qui travaillent sont différentes. Certaines, comme la hanche, peuvent effectuer un cercle. D'autres, comme le genou, font des mouvements de haut en bas.

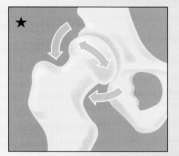

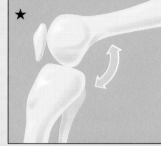

Articulation de la hanche. L'extrémité ronde d'un os s'adapte dans la partie évasée d'un autre.

Le genou travaille comme une charnière de porte. Il bouge de haut en bas, mais il ne tourne pas.

À quoi cela sert ?

Essaie de te déplacer sans plier les genoux ni les coudes, puis de t'asseoir. Peux-tu te relever ?

Sans articulations, tu ne pourrais pas bouger.

Liens Internet

Tout sur l'anatomie du corps humain, avec des illustrations très claires et des explications. Pour le lien vers ce site, connecte-toi à : www.usborne-quicklinks.com/fr

Les problèmes

Parfois, une articulation se déboîte. Cela signifie que les os sont déplacés et qu'ils n'arrivent plus à se joindre. Le spécialiste doit les remettre en place pour que l'articulation guérisse.

Cette radiographie montre un coude déboîté.

Les os du bras devraient s'articuler à cet endroit.

Humérus (os du bras)

Cet os n'est plus à sa place habituelle.

Radius et cubitus (os de l'avant-bras)

Les muscles

Les muscles sont assemblés autour des os, qu'ils font bouger. Sans eux, tu ne pourrais pas marcher, ni courir, ni parler, ni même respirer.

Liens Internet

L'Atlas du petit musclé. Pour le lien vers ce site, connecte-toi à :
www.usborne-quicklinks.com/fr

Le corps est composé de plus de 600 muscles. En voici quelques-uns.

Ce muscle permet de soulever l'épaule.

Ce muscle permet de froncer le front.

Triceps

Deltoïde (muscle de l'épaule)

Biceps

Abdominaux, pour rentrer le ventre.

Quadriceps (muscle de la cuisse)

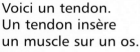

Voici un tendon. Un tendon insère un muscle sur un os.

Muscle du mollet

Fonctionnement

Un muscle se raccourcit ou s'allonge. Quand il se raccourcit, ou se contracte, il tire un os vers l'autre. Comme les muscles ne peuvent que tirer, ils travaillent par paire pour plier les articulations et les remettre en place.

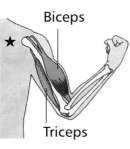

Biceps

★

Triceps

Pour plier le bras, tu dois contracter le biceps.

Biceps

Triceps

★

Pour tendre le bras, tu dois contracter le triceps.

Touche tes muscles

1. Avec la main, enserre doucement ton bras.

2. Plie et déplie plusieurs fois le bras. Sens-tu tes muscles se contracter et se gonfler ?

Petites merveilles !

Le corps humain possède des muscles spéciaux qui travaillent sans que nous le sachions. Ainsi, ton cœur bat tout le temps, même quand tu dors, et il ne se fatigue jamais.

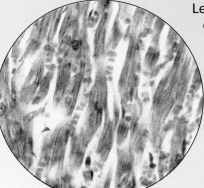

Les muscles sont faits de cellules longues et minces, les fibres musculaires. Voici à gauche des fibres musculaires du cœur grossies.

Si tu souris ou fronces les sourcils, les muscles du visage tirent sur la peau.

La chaleur corporelle

Un muscle qui travaille s'échauffe, et le corps entier a chaud. Si tu cours, tes muscles doivent travailler davantage et ils libèrent plus de chaleur. C'est pour cette raison que tu as chaud quand tu fais de l'exercice.

Lorsque tu as froid, ton cerveau commande aux muscles de bouger et tu frissonnes.

L'exercice physique développe les muscles. Les athlètes s'entraînent pour entretenir leur musculature.

Le sang

Le sang circule sans arrêt dans le corps. Il transporte de la nourriture et un gaz, l'oxygène, dans toutes les cellules du corps.

Les cellules du sang

Le sang est composé de plusieurs sortes de cellules qui ont diverses fonctions. Elles flottent dans un liquide jaunâtre, le plasma. C'est le plasma qui transporte la nourriture.

Le corps d'un adulte contient environ 5 litres de sang (près de 15 canettes de boisson gazeuse).

★

Liens Internet ✋

Une animation montrant le sens de circulation du sang dans le corps. Pour le lien vers ce site, connecte-toi à : **www.usborne-quicklinks.com/fr**

Le sang est composé de trois sortes de cellules. Voici à quoi elles ressemblent vues au microscope.

Si tu te coupes, de minuscules plaquettes arrêtent le saignement.

Les globules blancs tuent les microbes qui arrivent à entrer dans le corps. Ils t'empêchent d'être malade.

Les globules rouges transportent l'oxygène dans tout le corps. Ils donnent leur couleur au sang.

La circulation sanguine

Le cœur sert à pomper le sang et à
l'envoyer dans le corps. Le sang circule
dans des milliers de tubes, les vaisseaux
sanguins. Les vaisseaux qui partent
du cœur s'appellent les artères.
Les vaisseaux qui vont vers le
cœur sont les veines.

Les principales
artères et veines
du corps

Cœur

Veine

Cette grosse
artère emporte
le sang dans la
partie inférieure
du corps.

Le savais-tu ?

• Une goutte de sang contient
environ 250 millions de globules
rouges, 13 millions de plaquettes
et 375 000 globules blancs.

• Chaque jour, le sang parcourt
environ 15 km à l'intérieur du
corps humain.

Caillots et croûtes

Si tu te coupes, les vaisseaux sanguins sont
endommagés et le sang coule. Les plaquettes
réagissent alors tout de suite pour arrêter le
saignement. Voici les principales étapes.

Surface de la peau

Plaquette   Globule rouge

Croûte

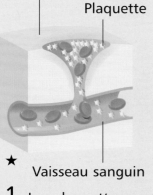

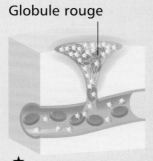

★   ★   ★

Vaisseau sanguin

★

1. Les plaquettes
s'assemblent autour
de la coupure et
bouchent l'entaille
(plus de fuite).

2. Les plaquettes
fabriquent des
filaments qui piègent
les globules rouges
en formant un caillot.

3. En séchant,
une croûte apparaît.
Dessous, d'autres
cellules poussent.
La blessure guérit.

Le cœur

Le cœur n'est pas plus gros qu'un poing, mais il est très costaud. Il pompe le sang et l'envoie partout dans le corps.

Une vraie pompe

Le cœur est un muscle qui se contracte et se relâche sans cesse. Quand il se décontracte, il laisse entrer le sang. Il le fait sortir quand il se contracte. Ces mouvements font battre le cœur.

Valve du cœur ouverte ★

Valve du cœur fermée ★

Une valve du cœur est une porte qui s'ouvre et se ferme. En se fermant, elle cogne : c'est le bruit du cœur qui bat.

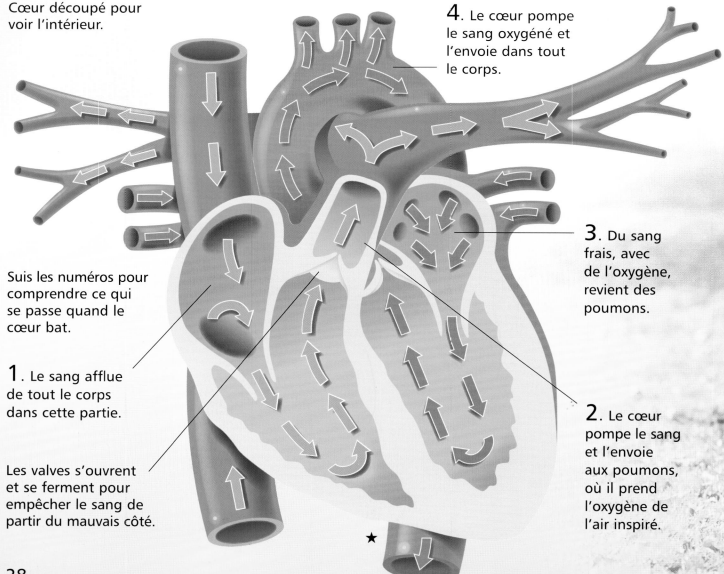

Cœur découpé pour voir l'intérieur.

4. Le cœur pompe le sang oxygéné et l'envoie dans tout le corps.

3. Du sang frais, avec de l'oxygène, revient des poumons.

Suis les numéros pour comprendre ce qui se passe quand le cœur bat.

1. Le sang afflue de tout le corps dans cette partie.

Les valves s'ouvrent et se ferment pour empêcher le sang de partir du mauvais côté.

2. Le cœur pompe le sang et l'envoie aux poumons, où il prend l'oxygène de l'air inspiré.

28

Prends ton pouls

Le pouls correspond au battement du cœur. Si tu veux le sentir, appuie sur l'intérieur de ton poignet avec deux doigts, comme sur l'illustration.

À quelle vitesse ?

Quand tu es assis, ton cœur bat plus de 70 fois à la minute. Il va battre plus fort et plus vite si tu fais du sport.

Le sport fait travailler le cœur. C'est bon pour la santé.

Quand tu cours, tes muscles ont besoin de plus de nourriture et d'oxygène. Le cœur accélère pour envoyer plus vite le sang dans le corps.

Voici un cœur. Les lignes jaunes et rouges sont les vaisseaux sanguins.

Les problèmes

Le cœur est recouvert de vaisseaux sanguins ; ce sont eux qui le maintiennent en vie. Chez une personne âgée, les vaisseaux sanguins se bouchent parfois et le muscle cardiaque ne bat plus correctement. C'est ce qu'on appelle la crise cardiaque.

Liens Internet

Tu peux voir sur ce lien une animation sur le muscle cardiaque. Pour le lien vers ce site, connecte-toi à : www.usborne-quicklinks.com/fr

La respiration

Tu respires sans même y penser, et ce plus de 23 000 fois par jour. Lorsque tu inspires, tu prends de l'oxygène dans l'air. C'est l'oxygène qui garde en vie toutes les cellules du corps.

Inspirer, expirer

Sous les poumons se trouve un gros muscle, que l'on appelle le diaphragme. Entre les côtes, il y a également des muscles. Tous ces muscles te permettent d'inspirer et d'expirer.

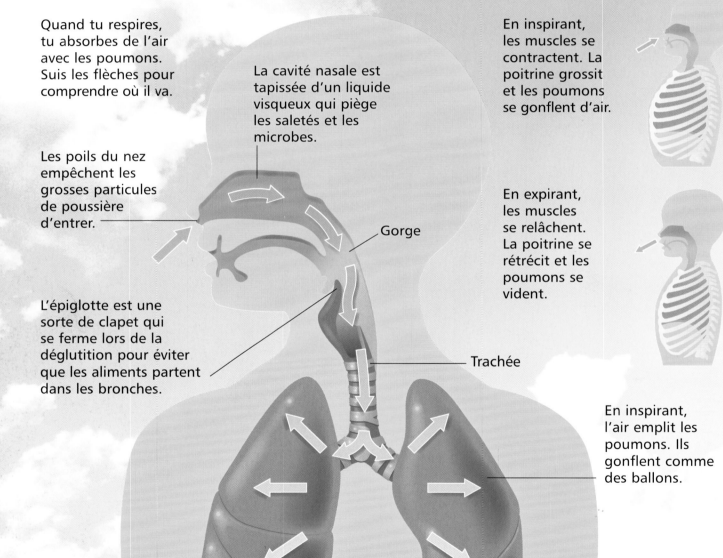

Quand tu respires, tu absorbes de l'air avec les poumons. Suis les flèches pour comprendre où il va.

La cavité nasale est tapissée d'un liquide visqueux qui piège les saletés et les microbes.

Les poils du nez empêchent les grosses particules de poussière d'entrer.

L'épiglotte est une sorte de clapet qui se ferme lors de la déglutition pour éviter que les aliments partent dans les bronches.

Gorge

Trachée

En inspirant, les muscles se contractent. La poitrine grossit et les poumons se gonflent d'air.

En expirant, les muscles se relâchent. La poitrine se rétrécit et les poumons se vident.

En inspirant, l'air emplit les poumons. Ils gonflent comme des ballons.

Le diaphragme est un muscle large et mince qui permet de respirer.

Liens Internet

Une animation qui montre le
mouvement respiratoire. Pour le
lien vers ce site, connecte-toi à :
www.usborne-quicklinks.com/fr

Les poumons

Dans les poumons,
la trachée se divise en
bronches, qui se ramifient
en un réseau de conduits
appelé arbre bronchique.
Celui-ci se termine par
de minuscules alvéoles.
Entourées de vaisseaux
sanguins, elles laissent
l'oxygène passer dans
le sang.

L'intérieur d'un poumon

Trachée

Chaque
ramification
de l'arbre
bronchique
se termine par
des alvéoles.

Alvéoles grossies

Alvéole

Vaisseaux sanguins

Combien d'air dans tes poumons ?

Il te faut :
une bouteille en plastique, une
paille coudée, une bassine d'eau

1. Remplis la bouteille
d'eau et ferme-la. Place-la
à l'envers dans la bassine
et ôte le bouchon.

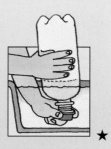

2. Enfonce la paille
par l'ouverture. Inspire
profondément, puis souffle
doucement dans la paille
jusqu'à vider tes poumons.

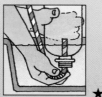

3. Tout l'air que tu expires
est piégé dans le haut
de la bouteille. C'est la
quantité d'air contenue
dans tes poumons.

Les problèmes

Quand les bronches
sont trop étroites,
la respiration se
fait difficilement.
Les personnes
affectées
souffrent
d'asthme.

Ce jeune
asthmatique
utilise un
inhalateur
pour élargir
ses bronches
et mieux
respirer.

La voix

Pense à toutes les intonations que tu peux donner à ta voix. Parler, murmurer, hurler, grogner, crier, chanter ou fredonner : tu peux ainsi faire comprendre aux autres tout ce que tu ressens.

Bien avant de parler, le bébé sait se faire comprendre par des sons. Il prononce ses premiers mots vers un an.

L'intérieur de la bouche et de la gorge

En expirant, l'air sort des poumons et entre dans la trachée.

Dents

Langue

Larynx

Cordes vocales

★

Émettre des sons

Les sons se forment dans le larynx, une partie de la gorge. C'est là que se trouvent deux membranes élastiques, les cordes vocales. Quand elles se rapprochent, l'air venant des poumons les pousse et les fait vibrer. Ces vibrations sont les sons que tu entends.

Cordes vocales

★

Voici les cordes vocales vues de dessus. Au repos, elles sont écartées pour permettre la respiration.

Cordes vocales

★

Quand elles se rapprochent, l'air venant des poumons est expiré par la fente, ce qui produit les sons.

La bouche aussi

Pour parler ou chanter, tu te sers aussi bien des cordes vocales que de la bouche. Avec les lèvres et la langue, tu peux faire quantités de sons différents.

La forme de la bouche change en fonction des sons émis.

« A »

« I »

« Ou »

Des sons divers

1. Dis « b ». Est-ce que tu utilises la langue ou les lèvres pour émettre ce son ?

2. Maintenant, dis « v ». Sens-tu tes lèvres toucher tes dents ?

3. Essaie à présent avec le son « d ». Que fait ta langue ?

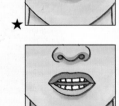

Liens Internet

Une rubrique sur la voix, avec quelques chants à écouter (du Liban, du Tibet, d'Afrique). Pour le lien vers ce site, connecte-toi à :
www.usborne-quicklinks.com/fr

Grave ou aigu

À mesure que tu grandis, tes cordes vocales s'allongent. Elles vibrent plus lentement et ta voix devient moins aiguë. La voix de l'homme est plus grave que celle de la femme, car ses cordes vocales sont plus longues et plus épaisses.

Quand tu parles ou chantes, tes cordes vocales se contractent et se relâchent. Elles vibrent alors plus vite et émettent des sons plus aigus.

Une voix de femme émettant une note aiguë fait vibrer ses cordes vocales environ 1 000 fois par seconde.

Les dents

Comment manger une pomme sans mordre à pleines dents ! Les dents servent à découper les aliments en morceaux faciles à avaler.

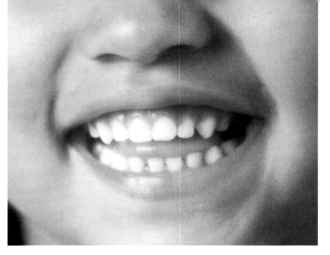

Les dents sont recouvertes d'une substance dure et blanche, l'émail. C'est la partie la plus résistante du corps.

Les types de dents

Au départ, les dents de l'enfant, appelées dents de lait, sont petites. Elles sont au nombre de 20. Quand l'enfant approche 6 ans, ces dents de lait tombent et sont remplacées par d'autres dents, qu'il gardera pour le restant de sa vie.

La plupart des adultes possèdent 32 dents. Selon leur forme, elles ont diverses fonctions.

Les incisives sont tranchantes. Elles servent à couper.

Les canines sont pointues, pour mieux déchirer.

La surface large et bosselées des molaires permet de mâcher les aliments.

Ce garçonnet a perdu quelques dents de lait. Les dents définitives les ont poussées pour prendre leur place.

Les prémolaires sont moins grosses que les molaires, mais elles mâchent aussi.

★

L'intérieur d'une dent

La partie de la dent qui est dure et visible s'appelle la couronne. Dessous, la dent est molle et vivante. Elle plonge ses longues racines dans les trous des maxillaires.

Ce dessin représente l'intérieur d'une dent.

Émail

Cette partie, la dentine, est de l'ivoire, une matière dure.

Gencive

La partie tendre, ou pulpe, est vivante.

Voici un nerf, capable de ressentir la douleur.

Maxillaire

Vaisseaux sanguins

Liens Internet

Surfe sur ce site consacré à la prévention dentaire. Pour le lien vers ce site, connecte-toi à :
www.usborne-quicklinks.com/fr

Les soins dentaires

Sais-tu que ta bouche renferme un grand nombre de microbes ? Ils se nourrissent de tout ce qui est sucré et coincé entre les dents. À force, ils font des trous. Voici comment garder de bonnes dents.

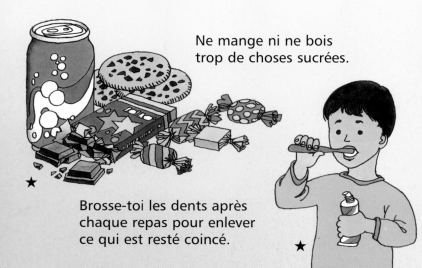

Ne mange ni ne bois trop de choses sucrées.

Brosse-toi les dents après chaque repas pour enlever ce qui est resté coincé.

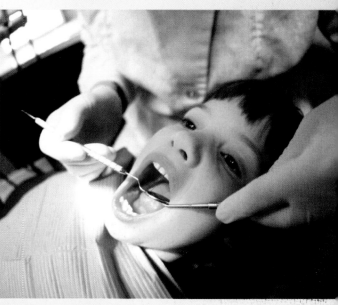

Visite le dentiste régulièrement. Il vérifiera à chaque fois que tes dents sont en bonne santé et peut te montrer comment les brosser effficacement.

La digestion

Il faut manger pour rester en vie. Lors de la digestion, le corps transforme la nourriture en substances chimiques dont il a besoin.

Le trajet de la nourriture

Il faut à peu près 18 à 48 heures aux aliments pour circuler dans le corps. Au cours du trajet, ils sont décomposés en éléments de plus en plus petits. Suis les numéros pour comprendre ce qui se passe lors de la digestion.

Le savais-tu ?

• Chez l'adulte, les glandes salivaires fabriquent environ 1,5 litre de salive tous les jours.

• L'estomac de l'homme n'est pas plus gros qu'un poing, mais il peut se distendre 20 fois plus.

• Si on déroulait l'intestin d'un adulte, il serait aussi long qu'un bus.

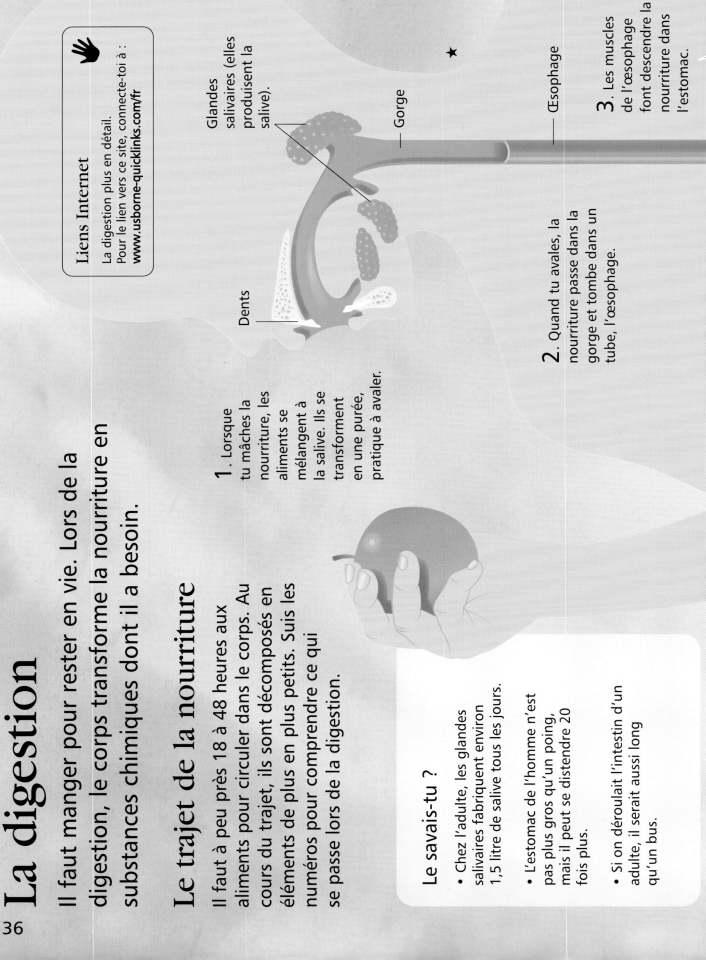

Liens Internet

La digestion plus en détail.
Pour le lien vers ce site, connecte-toi à :
www.usborne-quicklinks.com/fr

Glandes salivaires (elles produisent la salive).

Dents

Gorge

Œsophage

1. Lorsque tu mâches la nourriture, les aliments se mélangent à la salive. Ils se transforment en une purée, pratique à avaler.

2. Quand tu avales, la nourriture passe dans la gorge et tombe dans un tube, l'œsophage.

3. Les muscles de l'œsophage font descendre la nourriture dans l'estomac.

Pourquoi manger ?

De l'intestin grêle, les substances chimiques passent dans le sang. Puis le sang les apporte aux cellules du corps.

Certaines substances chimiques procurent aux cellules l'énergie dont elles ont besoin. D'autres facilitent la croissance ou la guérison, d'os cassés par exemple.

L'intestin grêle est tapissé de nombreux plis en forme de doigt. Les vaisseaux sanguins qu'ils contiennent absorbent les substances chimiques.

Les déchets

Le corps ne peut pas tout digérer. Par exemple, la peau des fruits et les pépins tombent dans le gros intestin, où ils s'agglutinent et forment les fèces (les selles), éliminées aux toilettes.

Résidus de nourriture

4. L'estomac broie la nourriture en un épais liquide.

Gros intestin

5. L'intestin grêle transforme les aliments en soupe et laisse sortir les substances chimiques nécessaires au corps.

6. Les substances chimiques partent vers le foie, puis dans tout le corps.

Rectum

7. Le gros intestin se charge des aliments non absorbés. Il en pompe l'eau et laisse des morceaux solides.

8. Ces déchets sont évacués par le rectum lorsque tu vas aux toilettes.

L'eau du corps

Les cellules du corps ont besoin d'eau pour fonctionner correctement. Sans eau, tu ne pourrais vivre que quelques jours.

L'équilibre en eau

Pour rester en bonne santé, le corps exige tout le temps la même quantité d'eau. Tu perds de l'eau en transpirant et en allant aux toilettes. Il faut compenser en buvant de nouveau.

Pour rester en bonne santé, il faut boire beaucoup tous les jours.

Tu t'hydrates en buvant et en mangeant. Certains aliments sont composés de 9/10e d'eau.

Quand tu as soif, c'est ton corps qui réclame.

La buée

À chaque fois que tu respires, tu perds un peu d'eau, comme le prouve cette expérience.

Souffle doucement sur un miroir. De la buée se forme à sa surface.

La buée est constituée de minuscules gouttes d'eau produites lors de l'expiration.

Liens Internet

Un petit dossier intéressant sur l'eau et la vie. Pour le lien vers ce site, connecte-toi à :
www.usborne-quicklinks.com/fr

L'eau en trop

Les reins ont pour fonction de contrôler la quantité d'eau contenue dans le corps. Ils éliminent le surplus d'eau inutile et nettoient le sang en le débarrassant des déchets toxiques fabriqués par les cellules.

Les reins transforment le surplus d'eau et les déchets en un liquide, l'urine (le pipi). Suis les numéros pour comprendre où va l'urine.

1. Les reins débarrassent le sang de l'eau en excès et des déchets. Ils en font de l'urine.

Reins

Uretère — — Uretère

2. L'urine tombe goutte à goutte dans deux tubes, les uretères.

3. L'urine descend ensuite dans un sac élastique, la vessie.

Vessie

Urètre —

4. Quand tu vas aux toilettes, la vessie s'ouvre et laisse passer l'urine par un tube, l'urètre.

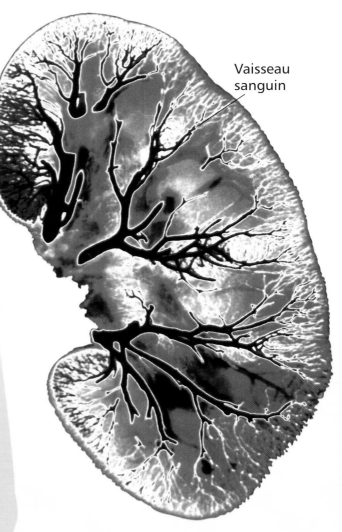

Vaisseau sanguin

Toutes les quatre minutes, les reins nettoient tout le sang du corps. Cette radiographie montre l'intérieur du rein.

Les bébés ne contrôlent pas encore leur vessie. Il faut donc leur mettre une couche.

39

Les hormones

L'hormone est une substance chimique qui circule dans le sang. Comme un messager, elle dit aux différentes parties du corps ce qu'il faut faire.

Leur fonction

Les hormones font travailler le corps, participent à la croissance ou changent l'apparence des gens au cours de la vie. C'est à cause des hormones que l'homme et la femme ne se ressemblent pas.

Chez le garçon qui grandit, une hormone mâle fait pousser la barbe.

Les hormones de croissance font grandir. Ainsi, un adolescent est plus grand qu'un enfant.

Sous l'influence des hormones, les seins des adolescentes se développent et leur corps change pour avoir des enfants.

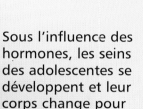

Une hormone, appelée insuline, empêche le taux de sucre du sang d'être trop élevé, même lorsque l'on mange une sucrerie.

Une personne qui ne fabrique pas assez d'insuline a une maladie, le diabète. Parfois, il lui faut s'injecter de l'insuline tous les jours.

40

Pas de panique !

Quand tu as peur, ton corps fabrique une hormone, appelée adrénaline. Celle-ci fait battre plus vite le cœur et envoie davantage de sang aux muscles. C'est pratique au cas où il faudrait se sauver.

Quand tu fais un tour en montagnes russes, ton corps produit beaucoup d'adrénaline et cela t'excite.

Les glandes

Les hormones sont sécrétées par de petits organes, les glandes, et vont directement dans le sang.

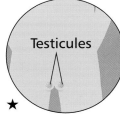

Les principales glandes du corps

L'hypophyse est une glande qui fabrique les hormones de croissance et contrôle d'autres glandes.

La glande thyroïde contrôle l'utilisation de l'énergie par le corps.

Les glandes surrénales fabriquent l'adrénaline.

Le pancréas sécrète l'insuline.

Les ovaires de la femme produisent les hormones femelles.

Testicules

Les testicules de l'homme fabriquent les hormones mâles.

Liens Internet

Un dossier sur le diabète.
Pour le lien vers ce site, connecte-toi à : www.usborne-quicklinks.com/fr

Les gènes

Observe ton corps dans une glace. De quelle couleur sont tes yeux ? Tes cheveux sont-ils raides ou frisés ? Les gènes sont responsables de ton apparence.

Entre autres, les gènes décident de :

La couleur des yeux

La couleur des cheveux

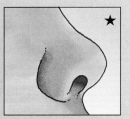
La forme du nez

Si tu es droitier ou gaucher

Et aussi ta taille

Qu'est-ce que les gènes ?

Les gènes sont des séries d'instructions qui indiquent au corps comment se construire. Ils sont microscopiques. Presque toutes les cellules du corps contiennent des gènes.

Les gènes sont faits d'une substance chimique, l'ADN, dont la forme évoque une échelle enroulée.

Voici un gène. Un gène est un segment d'ADN.

Chaque gène est un message chimique qui indique aux cellules comment se comporter.

Liens Internet

Le monde des gènes expliqué très clairement, avec un quiz. Pour le lien vers ce site, connecte-toi à : www.usborne-quicklinks.com/fr

Voici une cellule du corps —

À l'intérieur du noyau se trouvent de longs brins d'ADN. Chaque brin contient des centaines de gènes.

En famille

Tu as les gènes de tes parents : la moitié vient de ta mère, l'autre moitié, de ton père. C'est pourquoi tu leur ressembles sans doute un peu.

Si tes parents sont grands, tu seras sans doute grand toi aussi.

★

Certaines maladies se transmettent par les gènes. Les chercheurs font des expériences pour trouver les gènes qui ne fonctionnent pas et les remplacer.

★

Toi et tes gènes

Personne ne possède les mêmes gènes que toi. Tu es unique dans le monde, sauf si tu as un vrai jumeau.

Ces deux jeunes filles sont de vraies jumelles. Elles se rassemblent parce qu'elles ont exactement les mêmes gènes.

43

La reproduction

Un bébé se forme dans le ventre de sa mère. Il y reste à peu près neuf mois, jusqu'à ce qu'il soit assez grand pour vivre à l'extérieur.

Faire un bébé

Pour concevoir un bébé, il faut un homme et une femme. Le corps de la femme produit des cellules rondes, les ovules, le corps de l'homme, de petites cellules en forme de têtard, les spermatozoïdes.

Les spermatozoïdes nagent dans le ventre de la femme. Quand un spermatozoïde entre dans l'ovule, un bébé se développe.

Spermatozoïdes

Ovule

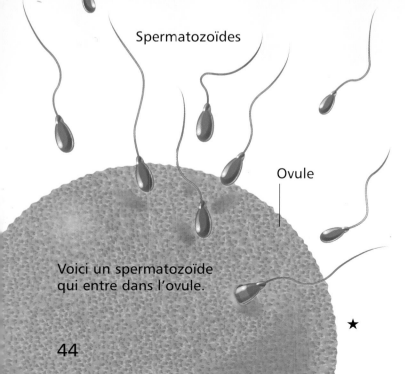

Voici un spermatozoïde qui entre dans l'ovule.

★

Ce cordon prend de l'oxygène et de la nourriture dans le corps de la mère et l'apporte au bébé.

Liquide amniotique

Ce bébé grandit dans le ventre de sa mère depuis huit semaines. Il n'est pas plus gros qu'une fraise.

Dans l'utérus

Le ventre de la femme renferme une poche élastique, appelée utérus. Le bébé se développe dans l'utérus au milieu d'un liquide chaud et protecteur.

Un bébé dans l'utérus de sa mère. À mesure qu'il grandit, l'utérus se distend.

★

Le bébé grandit et bouge

Au bout de quatre mois, le bébé a la taille d'un citron. Parfois, sa mère sent qu'il lui donne des coups de pieds dans le ventre.

Utérus

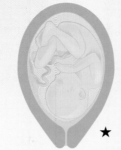

Bébé de quatre mois dans l'utérus

À six mois, le bébé mesure à peu près 22 cm.

À neuf mois, le bébé se prépare à naître.

La naissance

Quand la naissance approche, l'utérus de la mère commence à se contracter. Ceci pousse le bébé vers le bas, et il sera expulsé par une ouverture entre les jambes de la mère. Cela peut prendre des heures.

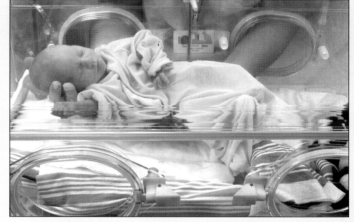

Parfois, le bébé naît trop tôt. Il lui faut des soins particuliers : on le met dans une boîte spéciale, l'incubateur, pour le tenir au chaud.

Liens Internet

Le développement du fœtus en images semaine après semaine. Pour le lien vers ce site, connecte-toi à : **www.usborne-quicklinks.com/fr**

Ce bébé n'a que quelques heures. Le nouveau-né dort environ 20 heures par jour.

Devenir adulte et vieillir

Le corps humain se transforme sans cesse. Il continue de grandir de la naissance jusqu'à l'âge de 20 ans environ.

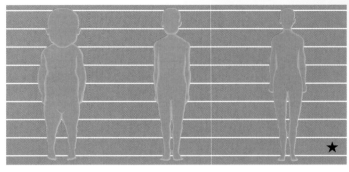

Comparée au corps, la tête du bébé est grosse.

Vers 7 ans, le corps et les jambes se sont allongés.

Un adulte a de longues jambes. La tête est petite par rapport au corps.

Grandir

Chaque année, tu grandis d'à peu près 6 cm. Certains os s'allongent plus vite que d'autres. Cela signifie que ta silhouette se transforme à mesure que ta croissance avance.

Quand tu grandis, tes os s'allongent. Compare ces deux radiographies des os.

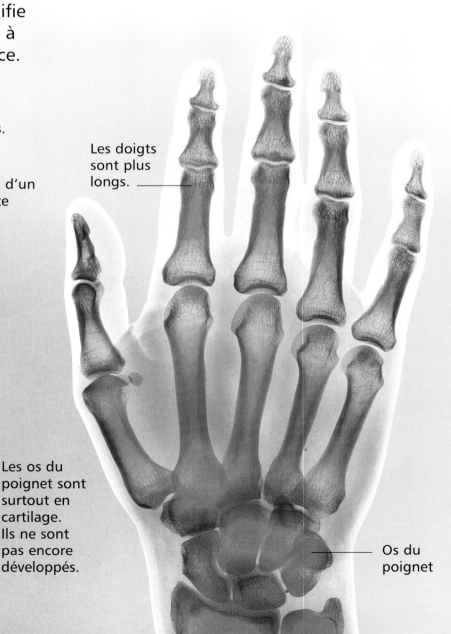

Main d'un enfant de 3 ans

Main d'un adulte

Les doigts sont plus longs.

Les doigts sont courts.

Les os du poignet sont surtout en cartilage. Ils ne sont pas encore développés.

Os du poignet

L'apprentissage

Le bébé ne peut rien faire seul. Avec le temps, il apprend à se servir de ses muscles pour s'asseoir et aller à quatre pattes. Vers l'âge de 2 ans, la plupart marchent et parlent.

Avec l'âge, l'enfant apprend des choses plus compliquées, comme se tenir en équilibre sur les mains.

Liens Internet

L'os vivant : identification, en croissance et vieillissant, entre autres. Pour le lien vers ce site, connecte-toi à : www.usborne-quicklinks.com/fr

Vieillir

Le corps d'une personne âgée s'affaiblit. Les os et les muscles sont moins fermes et la fatigue se fait sentir.

Vers l'âge de 60 ans, les rides se sont installées et les cheveux sont devenus gris.

Devenir adulte

Entre 10 ans et 18 ans, le corps se transforme beaucoup. C'est la puberté. C'est la période durant laquelle l'enfant devient adulte.

Fille ou garçon, le corps change de façon différente.

La voix du garçon devient grave ; les épaules et la poitrine s'élargissent.

De la barbe pousse sur le visage.

Les seins poussent.

Les hanches s'élargissent.

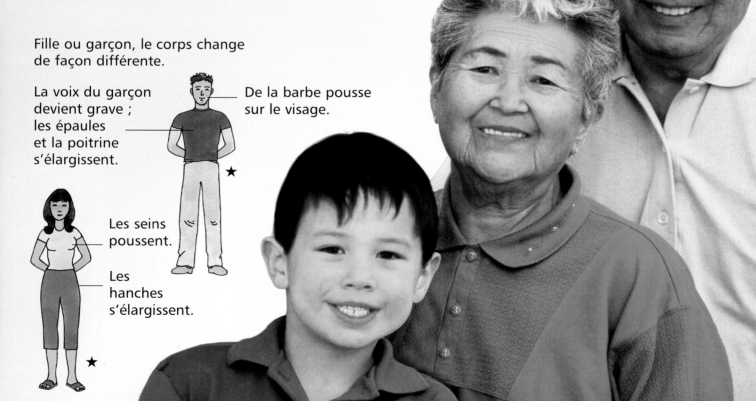

47

La bonne santé

Il faut prendre soin de son corps pour qu'il fonctionne correctement. Voici quelques conseils qui t'aideront à te maintenir en bonne santé.

Essaie de manger une nourriture saine.

★

S'entretenir

Faire du sport permet d'être en bonne santé tout en s'amusant. Selon les activités choisies, les bénéfices sont différents. En voici quelques-uns.

★

En renforçant le cœur et les poumons, le sport aide à mieux respirer.

★

Certains sports renforcent les muscles. La fatigue se fait alors moins sentir.

★

D'autres assouplissent les articulations et développent l'élasticité du corps.

La nage est un sport conseillé, car elle est bonne pour le cœur, les poumons et les muscles, et elle assouplit.

Liens Internet

L'histoire de l'alimentation, comment manger équilibré, alimentation et activités, entre autres. Pour le lien vers ce site, connecte-toi à : **www.usborne-quicklinks.com/fr**

Pas de problèmes !

Se faire du souci peut rendre malade. Si quelque chose te perturbe, parles-en à quelqu'un en qui tu as confiance, tes parents ou un professeur, par exemple.

Le sommeil

Il est très important de dormir suffisamment. Quand tu dors, ton corps se repose et se répare. Ton cerveau continue à travailler, mais au ralenti. Il en profite en effet pour trier les informations et les ranger.

Parler de ses problèmes aide à se sentir mieux.

Des chercheurs affirment que les rêves permettent au cerveau de trier toutes les choses qui sont arrivées dans la journée.

Jouer, c'est amusant et c'est bon pour la santé !

Se laver

Si des microbes entrent dans le corps, ils rendent malade. Se laver les empêche de proliférer. N'oublie pas de te laver les mains avant de manger et après avoir été aux toilettes.

Bien manger

Bien manger, c'est manger de tout. Il faut en effet varier l'alimentation pour satisfaire les différents besoins du corps et rester en bonne santé.

Ce repas est équilibré. Il comporte du riz et divers légumes, du poulet ainsi qu'un peu de gras.

Liens Internet

Alimentation : jeux et activités. Pour le lien vers ce site, connecte-toi à : www.usborne-quicklinks.com/fr

Les groupes d'aliments

Certains aliments te donnent l'énergie nécessaire pour bouger. D'autres te permettent de grandir et d'aller mieux. Voici un guide de la quantité de chaque aliment qu'il faut manger par jour.

Absorbe en petites quantités les aliments gras ou sucrés, comme le beurre, les gâteaux, les bonbons et les boissons sucrées.

Mange deux fois par jour des produits laitiers, lait bien sûr, mais aussi yaourt et fromage. Ces aliments renforcent les os.

Le poisson, la viande, les œufs, les légumes secs et les fruits oléagineux (noix, etc.) favorisent la croissance. Il en faut deux fois par jour.

Il faut cinq fruits et légumes par jour. Les fruits peuvent être consommés frais, en conserve, séchés ou en jus.

Le pain, les pâtes et le riz constituent le groupe des céréales. Ils donnent de l'énergie. Il en faut six fois par jour.

50

Vitamines et minéraux

Les produits alimentaires contiennent les vitamines et les minéraux nécessaires au bon fonctionnement du corps. On les trouve dans une alimentation variée.

★ La vitamine C se trouve dans l'orange, la fraise et la framboise. Il faut en manger pour aller mieux.

★ Le calcium est un minéral participant à la croissance des os. Le lait, le yaourt et le fromage en contiennent.

★ La carotte, l'abricot et la nectarine sont bons pour les yeux, car ils renferment de la vitamine A.

★ Le fer est un minéral indispensable au sang. On en trouve dans l'abricot, les raisins secs et les légumes verts.

★ La vitamine B donne de l'énergie. Il y en a dans le pain complet et le riz brun.

Si tu as une petite faim, mords dans un fruit. Ainsi, tu apportes des vitamines à ton corps.

Trop manger

En te nourrissant, tu procures de l'énergie à ton corps. Mais si tu manges avec excès et que tu ne fais pas d'exercice, les aliments se transforment en graisse dans le corps. C'est pour cela que les gens grossissent.

Les microbes

Les microbes sont partout. En général, ils ne font pas de mal, sauf certains qui peuvent te rendre malade.

Si tu te coupes, les microbes peuvent entrer dans le corps par la blessure. Désinfecte avec un liquide antiseptique pour les tuer.

★

Qu'est-ce qu'un microbe ?

Les microbes sont des organismes microscopiques. Il en existe deux types : les virus et les bactéries. Certains vivent dans l'air, dans les aliments ou l'eau, d'autres se transmettent quand les gens toussent ou éternuent. Certains rendent malade.

Ces bactéries rendent la gorge douloureuse. Sur cette image, elles sont grossies 50 000 fois.

Ces bactéries donnent mal au ventre et envie de vomir.

Virus du rhume

★

★ Se laver les mains au savon et à l'eau chaude arrête la prolifération des bactéries.

La cuisson tue les microbes qui se trouvent dans tous les aliments.

★

Tuer les microbes

Ton corps se protège contre certains microbes grâce à des cellules spéciales, les globules blancs. Ceux-ci les pourchassent et les détruisent. Ils fabriquent des substances chimiques qui vont les tuer ou bien les avalent.

Un globule blanc qui avale un microbe.

Microbe

Globule blanc

Une infirmière fait une injection à cette petite fille pour la protéger des microbes dangereux. C'est ce que l'on appelle la vaccination.

Liens Internet

Questions... et réponses sur les microbes et plein d'autres choses. Pour le lien vers ce site, connecte-toi à : www.usborne-quicklinks.com/fr

Des bactéries amicales

Il existe cependant des bactéries qui sont utiles. C'est le cas des milliards de bactéries qui vivent dans le ventre. Elles contribuent à décomposer la nourriture et fabriquent même certaines des vitamines qui sont nécessaires au corps.

Voici des bactéries qui vivent dans le ventre.

La visite chez le médecin

Si tu es malade, tu dois consulter un médecin. Son travail consiste à trouver ce qui ne va pas et à t'indiquer les mesures à prendre pour guérir.

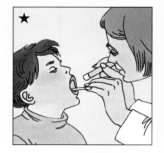

Le médecin peut te demander d'ouvrir la bouche pour examiner ta gorge et voir si elle est est rouge et irritée.

L'examen médical

Le médecin va t'examiner sans te faire mal et te poser des questions sur ce que tu ressens. Voici quelques exemples de ce que peut faire le médecin pour savoir ce que tu as.

Un instrument, l'otoscope, permet de regarder l'intérieur de l'oreille.

Ce médecin utilise un appareil appelé stéthoscope pour écouter le cœur et la respiration de son jeune patient.

54

Se porter mieux

Souvent, il suffit de se reposer pour se sentir mieux. Mais il arrive de devoir prendre des médicaments. Attention, ils peuvent être dangereux ! Il ne faut jamais prendre un médicament sans raison et sans demander l'autorisation d'un adulte.

Un médicament se présente souvent sous la forme d'un sirop ou d'un cachet.

Ces cachets sont des analgésiques ou calmants. Ils t'empêchent d'avoir mal pendant le processus de guérison.

Pour guérir les yeux, il faut souvent y mettre quelques gouttes.

Le médicament est parfois une crème à passer sur la peau.

Les antibiotiques sont des médicaments qui détruisent les bactéries nocives, par exemple celles qui donnent mal à la gorge.

Ces gélules renferment un remède en poudre.

Le bandage

Si tu te blesses ou te brûles, le médecin peut décider de te faire porter un pansement ou un bandage. Ainsi, la partie blessée va rester propre jusqu'à la guérison.

Le bandage maintient le pansement et soutient aussi une articulation blessée.

Explorer le corps humain

Parfois, le médecin a besoin de voir à l'intérieur du corps pour comprendre ce qui ne va pas. Il se sert alors de drôles de machines.

Cerveau

Épine dorsale (colonne vertébrale)

Poumons

Reins

La radiographie

Les rayons X utilisés en radiographie traversent la peau et les machines prennent des photos des parties dures, comme les os. En examinant la radiographie, le médecin sait si tu as une fracture.

Radiographie de la main d'une personne. Vois-tu l'os cassé ?

Le scanneur

Le scanneur est une machine qui permet au médecin de voir les parties molles et les parties dures du corps. Il prend de nombreuses photos qui sont ensuite assemblées par ordinateur pour obtenir une vue détaillée de l'intérieur du corps.

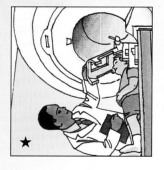

★

Ce garçon passe au scanneur. Allongé, il ne sent pas la machine qui prend les photos.

Cette image IRM (imagerie par résonance magnétique) montre l'intérieur d'un corps d'homme.

Os de la cuisse

Os de la jambe (tibia)

Une main est composée de 27 os différents.

Cordes vocales

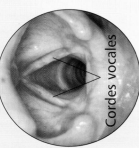

Image prise avec un endoscope des cordes vocales situées à l'intérieur de la gorge d'un patient.

L'échographie

Des ultrasons, réfléchis par les organes, reconstituent une image floue sur un écran de TV. Avec l'échographie, le médecin observe, par exemple, le bon déroulement d'une grossesse.

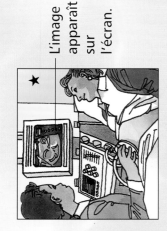

L'image apparaît sur l'écran.

Cette femme passe une échographie. Le médecin déplace le lecteur optique sur le ventre de sa patiente.

Échographie d'un bébé dans le ventre de sa mère

Tête du bébé

Les minicaméras

L'observation est encore plus précise si le médecin utilise une minicaméra. Placée à l'extrémité d'un tube, l'endoscope, elle pénètre dans le corps et transmet des images qui bougent sur un écran.

Liens Internet

Quelques techniques de production d'images scientifiques. Pour le lien vers ce site, connecte-toi à :
www.usborne-quicklinks.com/fr

Je vais à l'hôpital

Si tu te blesses ou que certaines parties de ton corps ne fonctionnent pas correctement, il faudra peut-être que tu ailles à l'hôpital. Les médecins et les infirmières savent guérir un grand nombre de maladies.

Les secours

Si tu tombes soudain malade ou que tu es victime d'un accident, tu peux avoir besoin de soins urgents. Il existe un service spécialisé pour ce genre de problème dans les hôpitaux : les urgences.

Les urgences s'occupent des os cassés et des coupures graves.

Parfois, les gens très malades se rendent aux urgences en ambulance.

Liens Internet

Je vais me faire opérer.
Pour le lien vers ce site, connecte-toi à :
www.usborne-quicklinks.com/fr

La consultation

À l'hôpital, il n'est pas obligatoire de passer la nuit. Souvent, un médecin examine le patient, qui rentre chez lui le jour même. C'est la consultation externe.

Cette jeune patiente est en rééducation. Elle fait des exercices qui ont pour but de renforcer ses muscles.

Elle étire les muscles du bras et de l'épaule.

L'opération

Parfois, l'opération est nécessaire pour aller mieux. Le médecin qui la réalise est appelé un chirurgien. Il ouvre ton corps afin de pouvoir réparer ce qui ne va pas.

Avant l'opération, on te donne un médicament pour dormir. Ainsi, tu ne sentiras rien pendant qu'on t'opère.

Ce chirurgien et ces infirmières opèrent dans une salle spéciale appelée salle d'opération.

Dans la salle d'opération, tout doit être très propre.

Le rétablissement

Après une opération, il est parfois nécessaire de rester quelques jours à l'hôpital. Ce sont les infirmières qui vont s'occuper de toi jusqu'à ton rétablissement.

Pendant ton séjour à l'hôpital, quelqu'un de ta famille peut rester avec toi tout le temps.

Le chirurgien et les infirmières portent des blouses et des masques afin de ne pas propager les microbes.

Les mots du corps

Ces pages expliquent quelques-uns des mots du corps humain que tu peux trouver dans cet ouvrage ou d'autres.

anesthésique médicament qui fait dormir ou empêche de sentir la douleur lors d'une opération.

artère vaisseau sanguin qui transporte le sang du cœur vers le reste du corps.

articulation partie du squelette où deux os, voire plus, se rencontrent.

bactérie organisme vivant invisible à l'œil nu. Certaines bactéries rendent malade si elles entrent dans le corps.

cartilage matériau semblable à l'os, mais plus mou, plus lisse et plus souple.

cellule minuscule unité vivante qui compose le corps, lequel en contient des milliards. La plupart sont invisibles à l'œil nu.

crâne partie osseuse de la tête qui protège le cerveau.

digestion façon dont le système digestif décompose les aliments en substances chimiques assimilables par le corps.

émail substance dure et blanche qui recouvre la partie externe d'une dent.

enceinte une femme est dite enceinte quand un enfant se développe dans son ventre.

énergie force qui permet de bouger et de faire des choses. Elle s'obtient en mangeant.

gaz carbonique gaz fabriqué par les cellules du corps et rejeté lors de l'expiration.

gène une des instructions qui indique au corps comment travailler et comment se développer. Les gènes viennent des parents.

glande partie du corps qui fabrique les substances chimiques nécessaires à son bon fonctionnement.

glucide substance chimique présente dans certains aliments, comme le pain, le riz et les pâtes, qui apporte de l'énergie au corps.

hormone sorte de messager chimique qui circule dans le corps en indiquant aux différentes parties ce qu'il faut faire.

ligament sorte de lanière qui lie deux os.

mélanine pigment marron de la peau et des cheveux. Elle protège la peau du soleil et lui donne ainsi qu'aux cheveux leur couleur.

microbe minuscule organisme vivant qui rend malade s'il entre dans le corps.

minéraux substances chimiques de la nourriture dont le corps a besoin. Les fruits, les légumes, le poisson, les fruits oléagineux (noix, etc.) et le lait contiennent des minéraux.

mucus sécrétion visqueuse fabriquée par certaines parties du corps comme le nez. Le mucus piège les saletés et les microbes respirés.

nerf cordon composé d'un faisceau de cellules qui conduisent les messages entre le cerveau et le corps.

neurone cellule nerveuse. Le cerveau ainsi que les nerfs sont composés de neurones.

opticien spécialiste des yeux. Il teste les yeux et prescrit des lunettes ou des lentilles si besoin.

organe partie du corps, comme le cœur, les yeux, le foie ou le cerveau.

oxygène gaz vital à toutes les cellules du corps, qui se trouve dans l'air respiré.

pore minuscule trou de la peau. La sueur sort par les pores.

protéine substance chimique de la nourriture, comme le poisson, la viande et les œufs, qui favorise la croissance du corps et le répare.

puberté période située à peu près entre 10 ans et 18 ans, au cours de laquelle l'enfant se transforme peu à peu en adulte.

radiographie photo d'une partie interne du corps obtenue par rayons X.

régime équilibré mélange d'aliments sains.

sens façons d'appréhender le monde environnant. Il existe cinq sens : la vue, l'ouïe, l'odorat, le goût et le toucher.

squelette structure du corps qui permet de rester debout et protège l'intérieur.

sueur liquide salé fabriqué par la peau quand on a chaud.

température corporelle degré de chaleur ou de froid du corps. En général, elle est de 37 °C.

tendon sorte de lanière souple et résistante qui insère un muscle sur un os.

urine liquide jaune pâle évacué quand on va aux toilettes. Elle provient de la transformation de l'eau et des déchets du corps par les reins.

vaisseau sanguin tube qui transporte le sang dans tout le corps.

veine vaisseau sanguin qui transporte le sang du corps vers le cœur.

virus minuscule organisme vivant qui rend malade, comme ceux de la grippe et du rhume.

vitamines substances chimiques contenues dans les aliments, comme les fruits et les légumes, indispensables au bon fonctionnement du corps.

Index

Remerciements et crédits

Les éditeurs remercient les personnes et organismes suivants pour leur autorisation de reproduire du matériel :

Légende

h = haut, m = milieu, b = bas, g = gauche, d = droite

Maquette de la couverture : Nicola Butler
Avec la collaboration de : Stephanie Jones
Manipulation numérique : Stephanie Jones, Susie McCaffrey et John Russell
Collaboration à la rédaction : Rachel Firth, Sarah Khan et Claire Masset
Recherche iconographique : Claire Masset et Ruth King
Directrice artistique : Mary Cartwright
Rédactrice : Felicity Brooks
Remerciements à Anna Claybourne et Sam Taplin